Bu Kitabın Masalı

Gökyüzünü boyamak her çocuğun hayalidir.

Orhan Veli'den, Oktay Rıfat'a pek çok şair ve yazar çocukluk yıllarında gökyüzünü boyamayı düşlediklerini itiraf etmişlerdir.

Ben de 1979 Dünya Çocuk Yılı'nda, çocuklara çok çok kitap yapmayı hayal ettim; oldu. "Bir kitap okudum hayatım değişti" gibi bir şey... Bu kitapları yaptım, kendimi yayıncı buldum. Hâlâ çok çok kitap, çok çok dergi, çok çok CD-Kitap yayınlıyorum. Dünya Çocuk Yılı ilan edilen 1979, Türkiye'nin zor yıllarıydı. O günlerde Ankara Belediyesi adına hazırladığım bu kitapların grafiği ve çizimleri üzerine **Selçuk Demirel** ile sabahlara kadar çalıştık. Selçuk, bu özverili çalışmaları karşılığında sadece Paris'e tek yön gidiş uçak bileti aldı. Hâlâ dönmedi. Bugün Le Monde'da çalışmaları yayınlanan, uluslararası başarıları olan, Türkiye'nin en önemli çizerlerinden biri. **Yalvaç Ural** dostum hâlâ çocuklar için yazıyor ve kendini kısa pantalonlu çizdirecek kadar büyümedi. **Tan Oral**'ın bu kitaplar için çizdiklerinin her biri tablo değerinde. Sevimli arkadaşım **Haslet Soyöz**, Tan Oral gibi 20 yıldır başarılı gazete çizerliğine devam ediyor. Kitapların diğer çizerleri **Yılmaz Aysan**, **Deniz Oral**, **Nezih Danyal** başarılı çalışmalarını bugün de sürdürüyorlar.

Şairleriyle, yazarlarıyla, çizerleriyle bizleri bir araya getiren çocuk duyarlığıydı. Aradan 20 yıla yakın zaman geçti. Bu zaman içinde çocuklar için yapılan **"kocaman hiç"** beni bu çalışmaya yöneltti. *Samanyolu'na bir yıldız da ben çaktım. Gökyüzünü boyamayı düşleyemeyen çocuklar için...*

Bülent Özükan
İstanbul, Ekim 98

Bu Kitabın Masalı

Ellerinin üşümesini
sevmiyordu.
- Hiç olmazsa bir elimi
cebime sokabilseydim,
diye düşündü.

Oysa öğretmeni
ilkbaharın, o güzelliklerin
habercisi ilkbaharın

başladığını söylemişti.
Mart ayının son günleri olmasına karşın güneş ellerini ısıtmıyordu.
Bir elinde çantası, diğer elinde bir tomar okunmuş gazete...

Gazeteleri öğretmen istemişti.

- Bu gazetelerden kitap yapılacak, demişti sınıfta.
Düşündü... Babası bir defa kocaman bir kayık yapmıştı gazeteden.
Sonra yağmur suyu birikintilerinde yüzdürmüşlerdi. Ağabeyi ile ilk maça gittikleri günü de anımsadı
birden. O gün de ağabeyi gazetelerden kayık gibi iki kocaman şapka yapmıştı.

Güneşten korunmak için. Maç boyunca başlarına takmışlardı. Annesi onarılması için kunduracıya gönderdiği ayakkabıları da eski gazetelere sarıyordu. Ama bu gazeteler nasıl kitap olacaktı?

Yoksa gazetelerin yazılarını silen dev silgiler mi vardı?

Yalnız öğretmen söylememişti gazetelerden kitap yapılacağını. Televizyondan da duymuştu. Gazeteleri Ankara Belediyesi toplayacaktı. En çok gazete toplayan okula para ödülü veriliyordu.

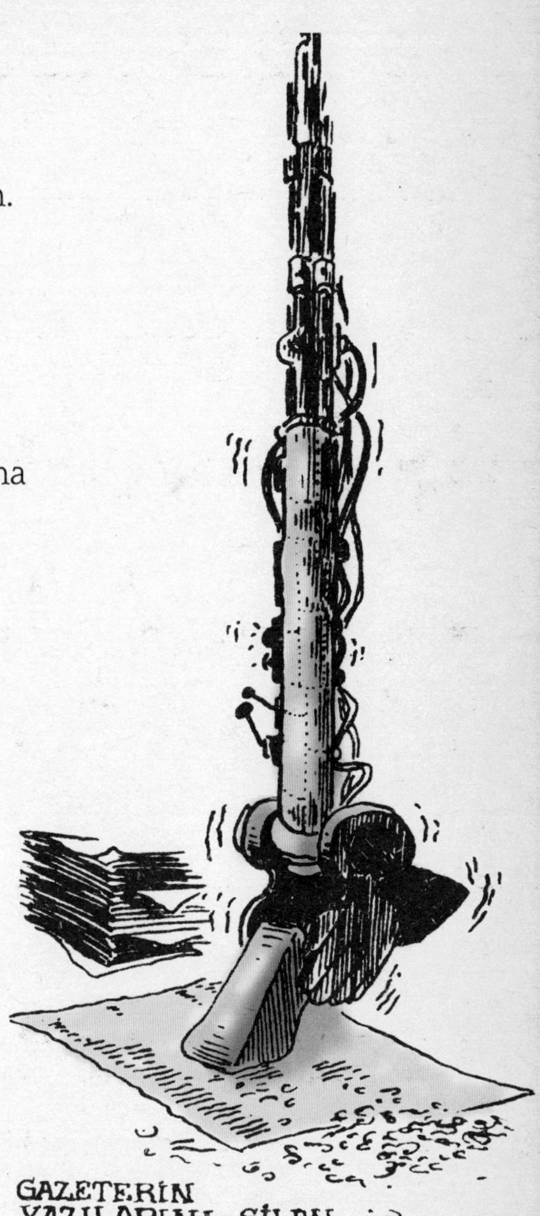

Okulun 3 öğrencisi anne
ve babasıyla ve de
öğretmenleriyle birlikte
tatil yapacaktı.

- Ah!.. dedi.

- Bir bana çıksa tatil
ödülü!

Annemi, babamı ve
öğretmenimi ben davet
ederim yaz tatiline.
Kimbilir ne kadar güzeldir
deniz kenarında
tatil yapmak

15 gün dilediğimizce
yiyip, içip, yatacağız.
Hem de para vermeden.
Kimbilir ne kadar
mutlanır annem, babam
ve öğretmenim.
Ve en çok ben...

Bir sabah yine evden
aldığı okunmuş gazeteleri
okula götürdü.
Arkadaşları da gazete
getirmişlerdi. Elindeki
gazeteleri sınıfın köşesine
bırakan,
öğretmenden 'aferin'
alıyordu. Öğretmen
gazetelerin çoğaldığını
görünce;
- Yarın daha çok
getirmeye çalışın. Bizim
okul birinci olabilir, dedi.
Parmağını kaldırdı,

- Kitap yapılması için
neden para
biriktirmiyoruz da gazete
topluyoruz,
diye öğretmenine sordu.
- Aslında ikisi farklı şeyler
değil, dedi öğretmeni.
Sizler okunmuş gazeteleri

toplayarak tasarruf
yapmış oluyorsunuz.
Ama bu tasarruf,
kumbaranıza attığınız
veya biriktirdiğiniz paralar
gibi bir tasarruf değil.
Buna ulusal tasarruf
diyebiliriz. Evinizdeki
gazeteleri okula
getirmediğinizi düşünün.
Büyük bir bölümü çöp
olacak ve diğer
çöplerle birlikte toprakta
çürüyecek.
Oysa şimdi bu gazeteler
kağıt fabrikasında yeniden
kağıt olarak üretilecekler.
Sizin de bu üretimde
payınız olacak.
Yaptığınız
tasarrufun yalnız size
değil, tüm ülkeye yararı
olacak. Karşılığında ise
hem yeni kitaplara sahip

olacaksınız, hem de yeni
ağaçların kesilmesini
önleyeceksiniz.
Biliyorsunuz, kağıtlar
orman ürünü.
Yani ağaçlar kesilerek
kağıt üretiliyor.

Güzel bir iş yaptıklarını
düşünerek sevindi.
En çok da kurtaracağı
ağaçlara sevindi.
Doğrusu bu ya, tam
olarak anlayamamıştı
hâlâ.

Gazetelerden nasıl kitap
yapılacaktı?

Kitaplar kadar yaz tatili
ödülünü de
düşünüyordu.

Denize girebileceğini
düşünerek heyecanlandı.

Öyle heyecanlanmış, öyle umutlanmıştı ki, evde televizyon izlerken bile düşündü.
Belediyeyi, gazeteyi ve kitabı düşünüyordu yatağında. Uykusu da kaçmıştı. Eline bir gazete aldı ve gazeteyle arkadaş olmaya karar verdi.
- Yarın seni de okula götüreceğim, dedi gazeteye.

- Söz ver, nasıl kitap olduğunu, kitap olduktan sonra bir gün mutlaka bana anlatacaksın, dedi ve uykuya daldı... Belki de uyuyordu.

Ve böylece bu kitabın
masalı başladı.
Elinizdeki bu kitap var ya,
işte çocuk ile arkadaş olan
gazeteden yapıldı.
Şayet sizler de gazetenin
nasıl kitap olduğunu,
çocuk ile arkadaş olan
gazetenin başından
geçenleri merak
ediyorsanız dinleyin.
Çünkü bundan sonrasını,
elinizde tuttuğunuz
kitap anlatacak.

Ben Bir Ağacın Dalıydım

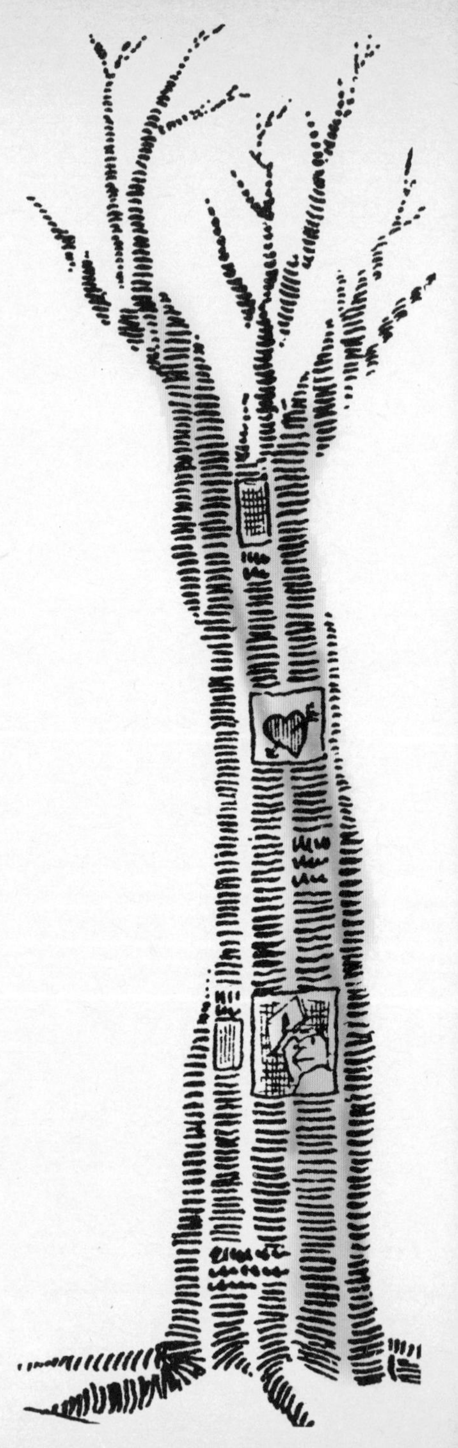

Şu anda benim üzerimdeki yazıları okuyorsun. Ben çok eskiden bir ağacın minik bir dalıydım. Gövdem kuruyunca beni de kestiler ve fabrikada kağıt yaptılar.

Fabrikadan bir matbaaya
götürdüler. İlk önce bir
derginin sayfaları oldum.
Üzerime kurşun harflerle
yazılar bastılar.
Belediyenin ne olduğunu
ben de üzerime
yazılanlardan öğrendim.
Ama bir belediye ile
tanışabileceğim hiç mi hiç
aklıma gelmemişti.
Beni Ankara Belediyesi'nin
kamyonuna yükledikleri
zaman aklıma geldi
üzerime yazılanlar.
Şayet bildiklerimi sen de
bilmek istersen
başlayayım söze.
Biz kağıtlar, siz çocuklar
gibi şanslı değiliz. Sizleri
koruyan ve düşünen sevgi
dolu anneleriniz var.
Bizim ise çoğu zaman
üzerimize yazarlar,

çizerler. Hatta karalarlar. Sonra da buruşturup çöpe atarlar. Hele yaramaz bir çocuğun eline geçmeyelim...
Bazen de güzel kitaplar olur, evin kitaplığında rahat ama annesiz yaşarız...
Belediyeleri de tıpkı 'anne'ler gibi düşünebiliriz. Kentte yaşayanların annesi...
Şimdi anneni ve tüm anneleri düşün. Çocukları için nasıl çırpınırlar değil mi? Çocuğunu besler, temizler ve yatacak yerini hazırlar. Oynasın diye hem güvenilir bir yer arar hem de oyuncak verir çocuğuna. Bir yere giderken ya elinden tutar, ya da kucağında taşır.

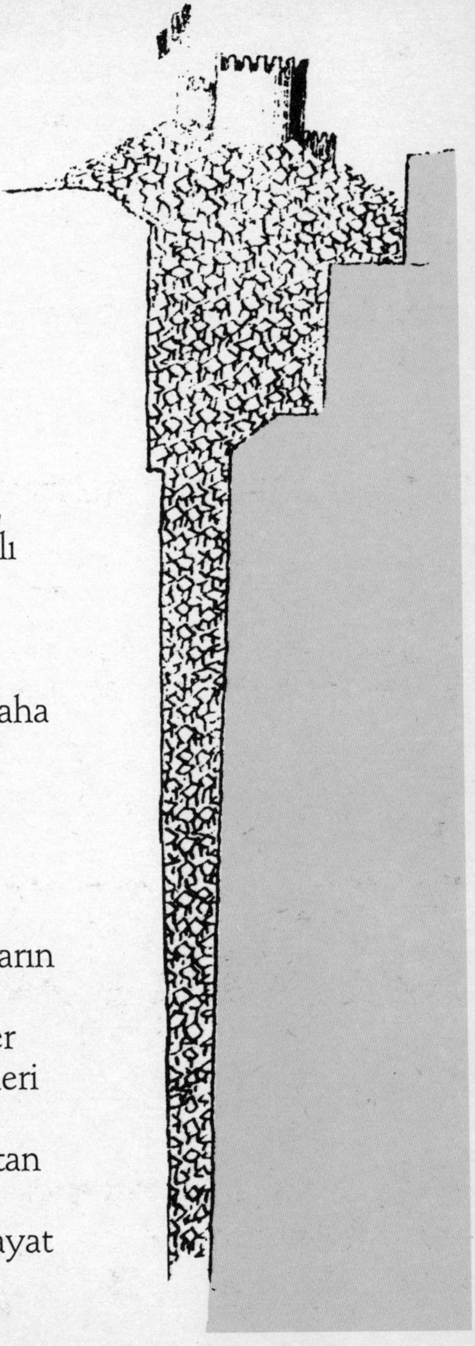

Annenin tek düşüncesi, çocuğu için daha sağlıklı daha iyi bir yaşam hazırlamaktır. Belediyeler de tıpkı bir ana gibi kent halkına daha iyi, daha sağlıklı bir yaşam hazırlamak için çalışırlar. Kentleri belediyeler temizler. Yalnız temizlemekle kalmaz, kentte oturanların sağlıklı ve insanca yaşayabilmeleri için her konuda çalışırlar. Kentleri ağaçlarla yeşillendirip, beton hapisane olmaktan kurtarmak isterler. Elektrikle ışık, su ile hayat verirler kent halkına.

Otobüsleri ile onları taşır,
taşıyabilmek için yollar
yaparlar. Annelerin
çocuklarına duydukları
sorumluluk kadar ağırdır
belediyelerin
sorumluluğu.

Belediyelerin Sahipleri

Sevgilerin en güzelinin
'anne sevgisi' olduğunu da
ben üzerime
yazılanlardan öğrendim.
Şimdi anlatacaklarım yine
Belediyelerle ilgili. Ama
oldukça ilginç.

Ankara Belediyesi, ülkemizdeki 1738 belediyeden biri. Ama Türkiye'nin başkentine hizmet götürdüğü için en önemlisi. İstanbul'dan sonra Türkiye'nin ikinci büyük belediyesi. Bu kitap eline geçtiğine göre Ankara Belediye sınırları içerisinde bir okulda öğrenci olman gerekiyor.

Belediyenin
gerçek sahibinin
sen ve ailen
olduğunu
biliyormuydun?
Kentin, beldiyenin
gerçek sahibi,
veya ortakları, o
sınırlar içinde
oturanlardır.
Şimdi gözünün
önüne
mahalledeki
terzinin ortağı,
belki de bir
fabrikanın ortağı
geliyor.
Belediyenin
yollarda gördüğün
yüzlerce otobüs-
leri, kamyonları,
itfaiye araçları,
çöp kamyonları

olduğuna göre, ortağının da fabrika ortağı gibi altında arabası, evi, cebinde bol parası, şık giysiler içinde büyük bir 'amca' olması gerektiğini düşünebilirsin. Tıpkı filmlerdeki gibi. Ama belediyelerin ortakları öyle değil. Gelelim senin Ankara Belediyesi'ne nasıl ortak olduğuna. Evde baban veya annen veya senin yaşamını sağlayan kişiler mutlaka bir işte çalışıyorlar. Ve kazandıkları paranın bir kısmını vergi olarak devlete ödüyorlar. Veya devlet onlardan alıyor. Devlet de bu paranın bir kısmını bazen pay, bazen yardım, bazen borç olarak belediyelere. Belediyeler de

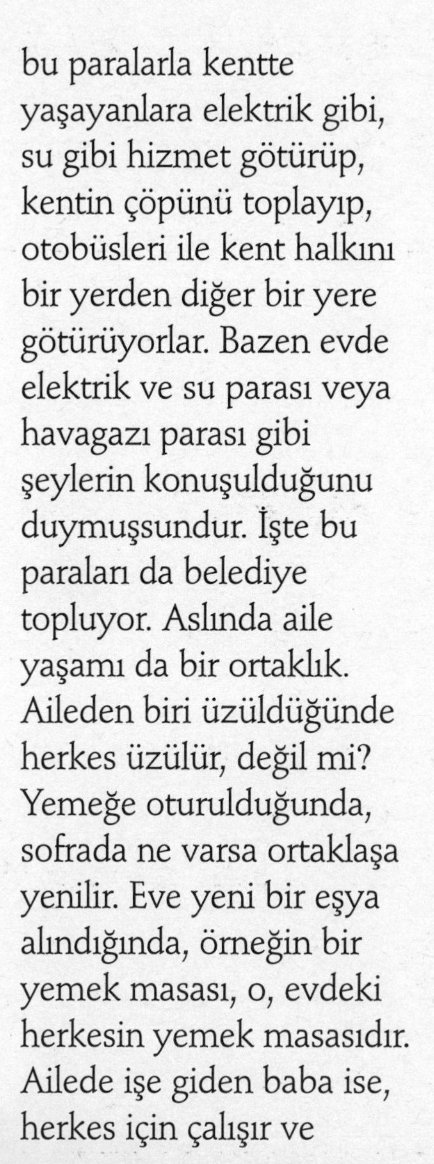

bu paralarla kentte yaşayanlara elektrik gibi, su gibi hizmet götürüp, kentin çöpünü toplayıp, otobüsleri ile kent halkını bir yerden diğer bir yere götürüyorlar. Bazen evde elektrik ve su parası veya havagazı parası gibi şeylerin konuşulduğunu duymuşsundur. İşte bu paraları da belediye topluyor. Aslında aile yaşamı da bir ortaklık. Aileden biri üzüldüğünde herkes üzülür, değil mi? Yemeğe oturulduğunda, sofrada ne varsa ortaklaşa yenilir. Eve yeni bir eşya alındığında, örneğin bir yemek masası, o, evdeki herkesin yemek masasıdır. Ailede işe giden baba ise, herkes için çalışır ve ailedeki herkes için devlete vergi öder. Sen de aileden bir kişi olduğuna göre, sen de devlete vergi ödüyorsun. Devlet senin paranın bir kısmını belediyeye veriyor. Devletin sahibi, o ülkede yaşayanlar, belediyelerin sahibi de o kentte yaşayanlar olduğuna göre ve sen Ankara kentinde yaşadığına göre, Ankara Belediyesi'nin ortağısın. Bunu şimdiden bellemelisin. Yarın şayet otobüse binecek olursan, şöyle omuzlarını kabart, ortak olduğunun bilinciyle ve övünçle basamaklarından çıkarak yolculuk et. Göreceksin daha zevkli olacak.

ANKARA BELEDİYESİ

Belediye Başkanlarını Çocuklar da Seçer

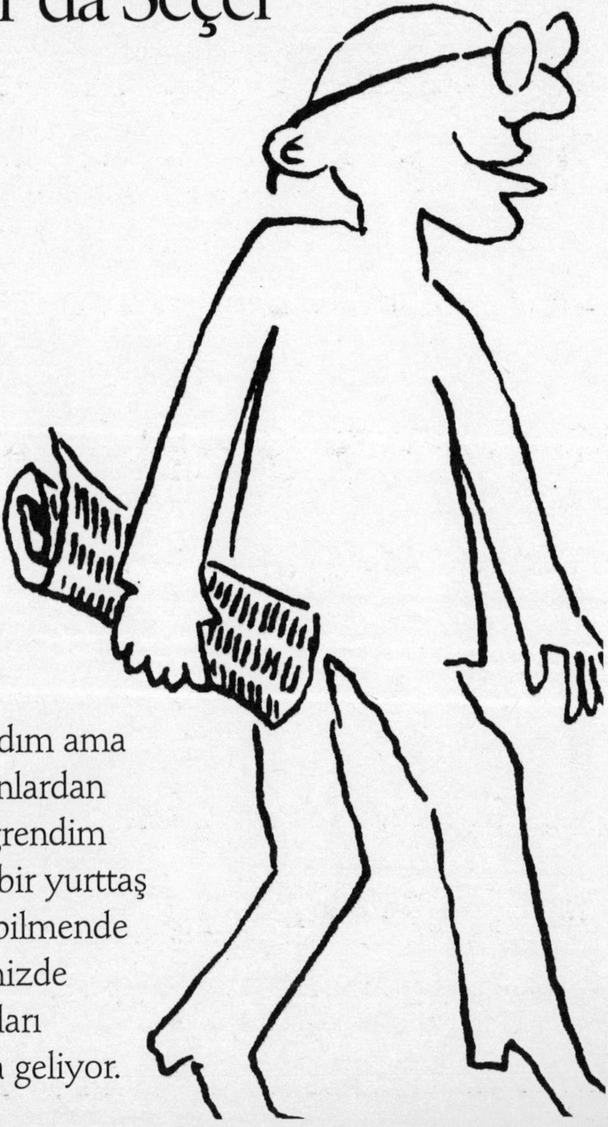

Ben aslında kağıdım ama üzerimde yazılanlardan öyle çok bilgi öğrendim ki, kentli küçük bir yurttaş olarak senin de bilmende yarar var. Ülkemizde belediye başkanları seçimle iş başına geliyor.

Yani o kentte yaşayanlar kendilerine en iyi hizmeti verebilecek adayı 4 yıl süreyle belediye başkanı seçerler.

- Belediye başkanları için çocuklar çok önemlidir, dersem şaşırır mısın? Sana anlattıklarımdan sakın şüphe etme. Masal değil, hepsi gerçek. Hem de alfabe gibi türkçe kitabı, aritmetik kitabındaki yazılar gibi gerçek. Ben sadece konuşan bir kitabım. Seçimlerde çocuklar oy kullanmaz ama, oy kullanan büyükler çocuklarını da düşünerek oy kullanır. Şayet senin okula gittiğin yol hâlâ çamurluysa, senin oynaman için yeni parklar yapılmamışsa ve yaşadığın çevredeki çöpler

sağlığına zarar veriyorsa, büyüklerin, oylarıyla o kentin belediye başkanını değiştirir. Belediyelerle ilgili olarak, üzerime yazılanlardan anımsayabildiklerim bunlar... Biz kağıtlar, üzerimize yazılanlarla öğünürüz. Bazılarımız yıllarca saklanan değerli kitap olurlar. Hatta bazılarımıza cilt yaptırırlar. Kitaplıklarda dimdik duralım diye. Bir de şansımız olmazsa... İşte ben, aslında şanssız bir kağıttım. Dergi olarak, matbaa makinesinden pırıl pırıl çıkmışken üzerime biraz boya bulaşmaz mı? Kimsenin elini kirletmeyeyim diye beni bir kenara ayırdılar. Öyle üzüldüm, öyle üzüldüm ki. Üzerime

yazılı bu kadar değerli bilgilerle beni ne yapacaklarını beklemeye başladım. Ertesi gün diğer kirli kağıtlarla birlikte beni de bir arabaya bindirdiler. Doğru fabrikaya. Dev kazanlara girip tekrar beyaz kağıt oldum. Bu defa dev gibi bir makinede üzerime gazete bastılar. Aynı gün, çocuğuyla arkadaş olduğum eve gazete olarak götürdüler beni. Çocuk beni okula götürdü. Belediyenin kamyonlarıyla tekrar kağıt fabrikasına gittim. Hamur olup yeniden beyaz kağıda dönüştüm. Ama artık, bir daha kağıt fabrikasındaki kazanlara gireceğimi sanmıyorum. Çünkü elinizdeki kitap oldum.

- Nasıl mı oldum?

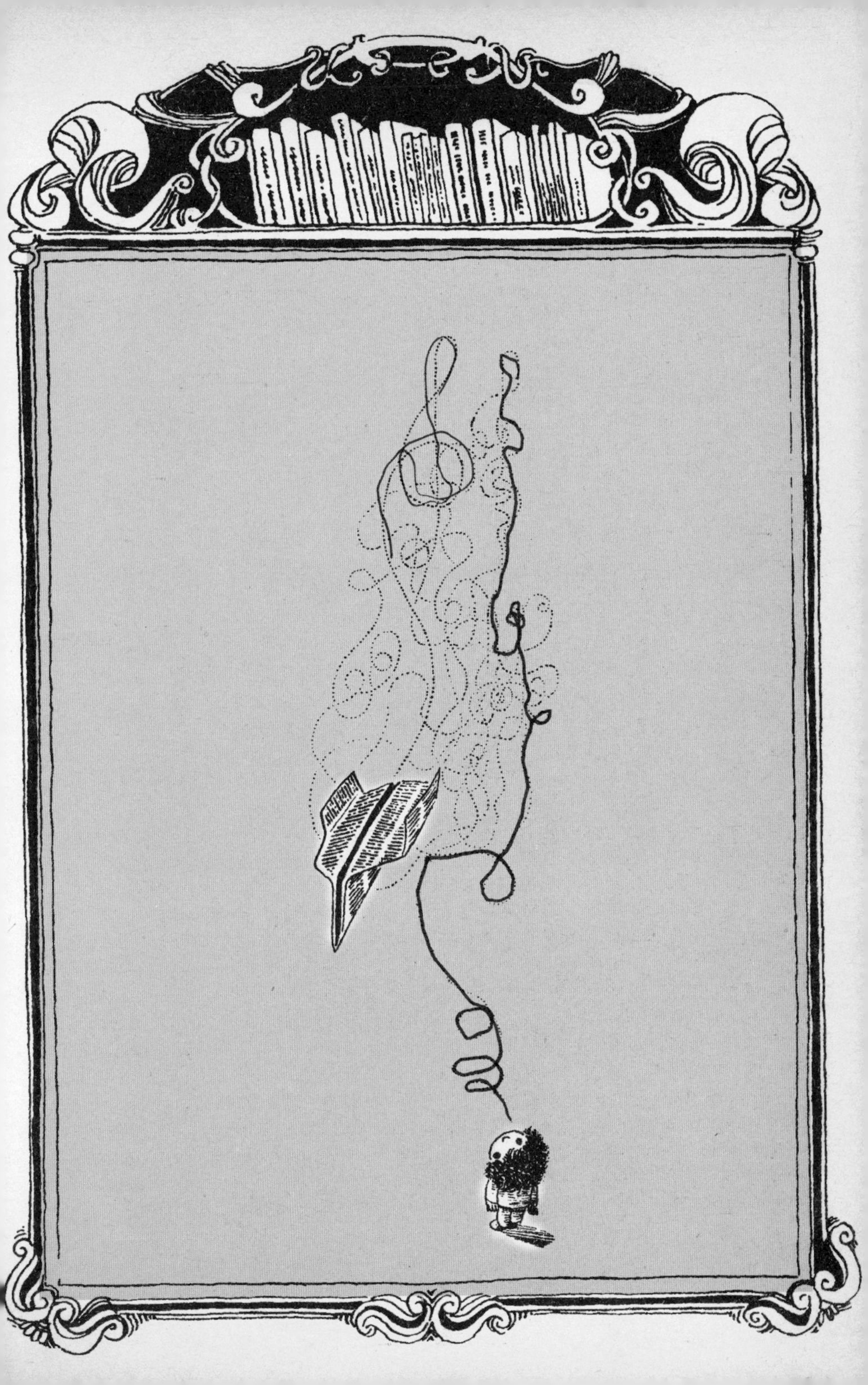

Bayramlık Giysiler Gibi Tertemiz Kağıt Oldum

Kağıt fabrikasından son olarak, bayramlık giysiler gibi tertemiz kağıt olarak çıktım. Beni üreten devletin kağıt fabrikası İzmit'teydi. Kamyonlarla uzun bir yolculuktan sonra Ankara'ya geldik.

Karışıp, buruşmayalım
diye yavaş yavaş
matbaaya indirdiler.
Makineye girmek için sıra
beklerken herşeyi gördüm
ve öğrendim. Öyküleri,
masalları ve şiirleri sizler
için seçerken aylarca
çalışmışlar. Çizerler tüm
becerilerini gösterip,
resimler desenler
hazırlamışlar. Üzerime
basılacakları hazırlanırken
görmek bana oldukça
heyecan verdi.
Harflerin fotoğrafını çeken
bir makinede üzerime
basılacak yazıları dizdiler.
Sonra o yazıları kesip
kartonlara yapıştırdılar.
Çizerlerin hazırladığı
resim ve desenler de
yazılarla birlikte
kartonlara yapıştı.

Okudular ve düzelttiler. Eksikleri gözden geçirip kitabı tamamladılar. Sıra, hazırlanan kitabı çoğaltmaya geldi. Önce sayfaların fotoğrafını çektiler. Tıpkı hatıra fotoğrafları gibi. Sayfa filmlerini yanyana getirip bu defa çinko bir levhaya fotoğrafını çektiler. Ben tüm bunları izlerken mavi tulumlu iki işçi beni yakalayıp makineye yerleştirmez mi? Silindirlerin arasından geçerken biraz canım yandı. Üzerimdeki yazıları, resimleri ve desenleri görünce kendimi tanıyamadım. Gururlandım. Öyle güzel olmuştum ki... Ben üzerime yazılanları,

çizilenleri seyretmeye doyamazken, büyükçe bir depoya taşındığımı farkettim. Yanımda duran ve bizler gibi kağıt cinsinden olan arkadaşlar çok kaba görünüşlüydü. Benim inceliğim onlarda hiç yoktu. Sonradan öğrendim ki, yanımdakiler kitap kapaklarıymış ve kitap kapakları kartondan yapılırmış. Kitabı korumakla görevli olduklarından biz kağıtlardan daha kalın olurlarmış.

- O da ne?

Kapak kartonlarının üzerinde de benim üzerimdeki yazı ve çizgilerden yok mu? Meğer yazgımız aynı imiş. Kibirlenmenin yanlış

Sevgili
Çocuklar

olacağını düşünerek
hemen arkadaş olduk.
O kadar samimi arkadaş
olduk ki, hemen içiçe
girdik. Kartonlar
üzerimizde, biz basılı
kağıtlar içerde.
BİR MİLYON ÇOCUK
KİTABI olduk. Yine mavi
tulumlu işçiler gelip bizi
tomar-tomar dev bıçağın
önüne taşıdılar. Korkudan
tir tir titremeye başladık.
Sonra canımızı hiç
acıtmadan ve özümüze
zarar vermeden
fazlalıklarımızı kestiler.

Bir Milyonluk Dev Bir Ordu Olduk

Artık hepimiz değerli bir kitaptık. Kitap olmak, bir kağıt için en mutlu olay. Yüzer-yüzer, beşyüzer-beşyüzer paketler olduk. Tıpkı bir ordunun bölükleri, alayları gibi. 1 milyon askerin dünyanın en büyük iki, üç ordusunda bulunabileceğini biliyor muydunuz? Dünyanın en güçlü ordusu olduk diyebilirim. Ne Vietnam'daki gibi çocukların üzerine Napalm bombası gönderen, ne de Hiroşima'daki gibi çocukların üzerine atom bombası atan bir orduyduk. Sevgi, kardeşlik ve barış dağıtan bir ordu olduk.

Dikildik Gökdelen Olduk

Çocuklar için ve
çocuklardan yana bir ordu
olmanın onuruyla, bir
gece sizler uyurken
Kızılay meydanına geldik.
Hani o büyük gökdelen
var ya, biz kitaplardan
tam 142 adet gökdelen
olduk. Evet, evet, tam
142 kitaptan gökdelen.
Sakın şaka yaptığımı
sanmayın. Zamanınız
varsa siz de hesaplayın.
Benim kalınlığım 1 cm.
(bir santim).
Benim gibi tüm kitapların
kalınlıkları aynı.
Kızılay'daki gökdelenin
yüksekliği ise 70 metre.
Biz 7.000 kitabın üst üste
kalınlıkları da 70 metre
ediyor. Sevgi, kardeşlik ve
barış ordusu olan bizler
1 milyon kitap olduğumuza
göre, tam 142 gökdelen
oluşturduk bir gecede.

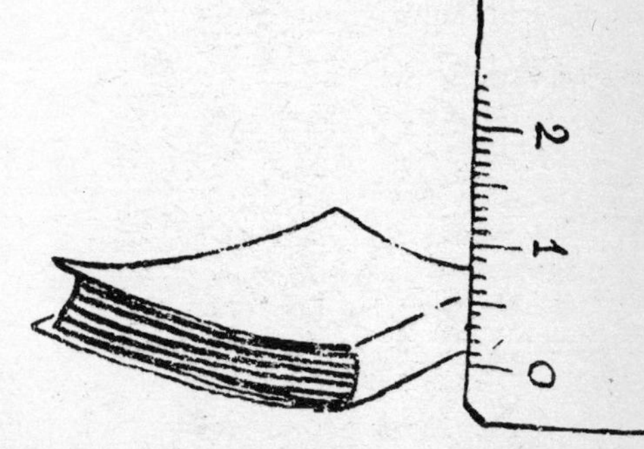

El Ele Verdik Yurdumuzu Dolaştık

Benim enim 14 cm.,
boyum ise 20 cm.
Arkadaşlarımın da aynı.
Yine siz uyurken yanyana
dizildik, 140.000 metre
boyunda kitaptan yol
döşedik. Boylamasına,
birbirimizin ayaklarından

tutarak dizildik;
200 kilometre
uzunluğunda kitaptan
sevgi, kardeşlik ve
barış yolu oluşturduk.
Sonra, yine bir gece sizler
uykuda iken, tüm
kitapların sayfaları elele
verdik ve yurdumuzu
dolaştık. Hem de 5 kez.
Her bir kitap yaprağı
20 cm. olduğundan, tam
1 metre yüksekliğinde bir
duvar ördük kıyılarımıza
ve sınırlarımıza.
Adalarımızı
unuttuğumuzu
sanmayın, onların da
çevresine bilgi duvarı
ördük. Ülkemizin
komşularıyla sınırlarının
toplamı 2.753 kilometre.
Adalarımızın çevresi de
dahil, Anadolu ve Trakya

kıyılarımızın uzunluğu ise 8.333 kilometre. Yani tüm kıyı ve sınırlarımız 11.086 kilometre. Bir kitabımızda 34 yaprak var. Ve her yaprağın eni 14 cm. Dilerseniz bir de siz hesaplayın 1 milyonluk kitap ordumuzun yaptığı yolculuğu...

Tüm Dünya Çocuklarına Sizden Selam İlettik

1979, biliyorsunuz Dünya
Çocuk Yılı. Ben ve diğer
kitap arkadaşlarım,
Türkiyeli çocukların
kardeşliğini ve dostluğunu
tüm dünyaya duyuralım
istedik.

Yine bir gece siz
uyuyordunuz. Kitabın
tüm sayfaları elele verdik.
Önce yanyana yurdu-
muzu kuşattık. Tüm
komşu ülkelerin
çocuklarına selamınızı
ilettik. Öylesine dev bir
ordu idik ki, diğerlerimiz
önce Batı'ya doğru yol
aldı. Elele ve kardeşçesine
Avrupa ülkelerinin
üzerinden tüm çocuklara
sevgimizi sunarak Atlas
Okyanusu'nu geçtik.
Amerika kıtasındaki
kardeşlerimize dostluk
elimizi uzatarak Büyük

Okyanus'u aştık. Japon, Çin, Sovyet ve İran ülkelerindeki çocuklara Türkiyeli çocukların selamını ilettik. Din, dil, ırk ve sınıf farkı gözetmeksizin tüm dünya çocuklarının kardeşliğini haykırarak Türkiye'deki ilk sayfalarla buluştuk. 11.086 kilometresi Türkiye, 41.274 kilometresi dünya çevresinde, 52.360 kilometre uzunluğunda el ele vermiş kitap yapraklarından sevgi duvarı ördük dünyaya...

Gelin, Türkiye ve Dünya turumuzun sihirli hesabını birlikte yapalım. Türkiye'nin tüm kıyılarının ve sınırlarının uzunluğu 11.086 kilometre. Dünya'nın çevresi ise 41.274 kilometre. Eder toplam 52.360 kilometre. Elinizdeki kitabın eni 14 cm. Her kitapta 34 yaprak var ve toplam 1.000.000 kitap basıldı. Aritmetiğinize güveniyorsanız birlikte bir yolculuğa ne dersiniz?

. . . . .

El Ele Verirsek

Ve şimdi ellerinizdeyiz. Biz kitaplar, siz çocukların en iyi arkadaşlarıyız. Siz de bize elinizi uzatın. Ama tüm kitaplara uzatın ellerinizi. Şayet çevrenizde kitaba düşman biri görürseniz, bilin ki o, sizin de düşmanınızdır. Siz ve biz elele verdik mi, iyiye, güzele ve mutluluğa doğru tüm dünyayı değiştirebiliriz. Ve göreceksiniz, değiştireceğiz.

26 EYLÜL 1979

ANKARA

'Öteki' Ç

Kitaplarımızdaki yazarlar, şairler ve çizerler çocuk duyarlığı ile çocuklar için çalıştılar. Bu kitaplar çocuklar için çoğaltıldı

Eminiz ki, büyükler bu kitapları çocuklar için satın alacaklar ve yakınlarındaki bir çocuğa armağan ederek okunmasını sağlayacaklar. Bu çocuklar çoğunlukla sağlıklı 'mutlu' korunan ve eğitilen "bizim" çocuklarımız.

S.H.Ç.E.K.
SOKAK ÇOCUKLARI
REHABİLİTASYON MERKEZİ

S.H.Ç.E.K.
SOKAK ÇOCUKLARI
Rasimpaşa Mah. Karakolhane
Cad.No:53 Kadıköy - İSTANBUL
Tel: (216) 330 39 18

TÜRKİYE SPASTİK ÇOCUKLAR VAKFI
Metin Sabancı Spastik Çocuklar
Rehabilitasyon ve Tedavi Merkezi
Prof. Dr. Hıfzı Özcan Cad. No:3
Küçükbakkalköy - İSTANBUL
Tel: (216) 416 87 66

uklar için

Ya "öteki" çocuklar? Yani kitaptan habersiz büyüyen çocuklar! Onlar da bizim çocuklarımız... Bu çalışma "öteki" çocukları da hayatımıza dahil etmeyi amaçlıyor. Biliyoruz, yapabileceklerimiz çok küçük bir damla. Ama damlaların çoğalınca akan sulara dönüştüğünü de biliyoruz ve bu damlaların çoğalmasını arzu ediyoruz.

"Öteki" çocuklarımız korunmaya muhtaç, belki de sokakta. Eğitimden habersiz, belki de özel bir eğitime ihtiyacı var.

Çalışmalarını izlediğimiz, çocuklara hizmet götüren 4 kuruluşa bu kitapların gelirlerinin %25'ini bağışlıyoruz. Yarısı şair, yazar ve çizerlerimiz adına, yarısı da Boyut Yayın Grubu adına. Bizimkisi küçük bir **damla**. Çoğalması, akması sizin elinizde...

TÜRKİYE KORUNMAYA MUHTAÇ ÇOCUKLAR VAKFI
Altan Erbulak Sok.
Hoşçakalın Apt. No:4 K:2 D:5
Mecidiyeköy - İSTANBUL
Tel: (212) 267 22 70

NESİN VAKFI
Posta Kutusu 5 Çatalca - İSTANBUL
Tel: (216) 783 60 49 - 3 Hat

BİR MİLYON ÇOCUK KİTABI

1- **BU MEMLEKET BİZİM** "Şiirler"
Nâzım Hikmet, İsmail Uyaroğlu, Ceyhun Atuf Kansu, Bülent Ecevit, Attilâ İlhan, Tahsin Saraç, Rıfat Ilgaz, Türkân Gedik, Ahmet Arif, Fazıl Hüsnü Dağlarca, Cahit Sıtkı Tarancı, Melih Cevdet Anday, Yalvaç Ural. Çizgiler: Ateş Danyal

2- **YÜZ PARALIK BULUT** "Şiirler"
Orhan Veli Kanık, Oktay Rifat, Cahit Sıtkı Tarancı, Melih Cevdet Anday, Cahit Külebi, Fazıl Hüsnü Dağlarca, İsmail Uyaroğlu, Yalvaç Ural, Refik Durbaş, Ali Püsküllüoğlu, Can Yücel, Celal Vardar, İlhami Bekir Tez, M. Turan Tekdoğan, Behçet Necatigil, Necati Cumalı, Türkân Gedik, Ceyhun Atuf Kansu, Nâzım Hikmet, Ziya Osman Saba, Çizgiler: Deniz Oral.

3- **TELEVİZYONDAKİ REKLAMCI AMCA** "Şiirler"
Yalvaç Ural, Gülten Akın, İsmail Uyaroğlu, Bedri Rahmi Eyüboğlu, Bülent Ecevit, Nâzım Hikmet, Hasan Hüseyin, Cahit Irgat, Türkân Gedik, Ziya Osman Saba, Melih Cevdet Anday, Cahit Külebi, Arkadaş Z. Özger, Nihat Ziyalan, Cahit Sıtkı Tarancı, Necati Cumalı, Sabahattin Kudret Aksal, Hasan Ali Yücel, Rıfat Ilgaz, Behçet Necatigil, Ülkü Tamer, Asaf Halet Çelebi. Çizgiler: Tan Oral.

4- **SEVDALI BULUT** "Masallar"
Nâzım Hikmet, Sabahattin Ali, Aziz Nesin, İhmal Amca, Orhan Kemal. Çizgiler: Yılmaz Aysan.

5- **BİR DE VARMIŞ İKİ DE VARMIŞ** "Masallar"
Adnan Özyalçıner, Oğuz Tansel, Ahmet Uysal, Pertev Naili Boratav. Çizgiler: Seydali Gönel.

6- **KIT AKILLI KARGA** "Masallar, Fıkralar"
Ezop (Tarık Dursun K.), La Fontaine (Orhan Veli Kanık), Nasreddin Hoca (Kemal Özer, Ömür Candaş), Andersen (Zeynep Menemenci) Çizgiler: Nezih Danyal.

7- **BİR ŞEFTALİ BİN ŞEFTALİ** "Masal"
Samed Behrengi. Çizgiler: Belkıs Taşkeser.

8- **ARABALAR BEŞ KURUŞA** "Öyküler"
Sabahattin Ali, Yaşar Kemal, Orhan Kemal, Füruzan, Sait Faik, Çizgiler: Selçuk Demirel.

9- **KOVBOYCULUK OYUNU** "Öyküler"
Sadık Fehimoğlu, Yılmaz Güney, Fakir Baykurt. Çizgiler: Haslet Soyöz

10- **FALAKA** "Öyküler"
Ömer Seyfettin, Reşat Nuri Güntekin, Yakup Kadri Karaosmanoğlu, Halide Edip Adıvar, Reşat Enis. Çizgiler: Haslet Soyöz.

11- **BU KİTABIN MASALI** "Masal"
Bülent Özükan. Çizgiler: Selçuk Demirel.